D1009430

J'ai vendu ma soeur

De la même auteure

Chez Soulières éditeur :
Le champion du lundi, 1998
Le démon du mardi, 2000, Prix Boomerang 2001,
    3e position au Palmarès de Communication-
    Jeunesse 2001
Le monstre du mercredi, 2001,
    2e position au Palmarès de Communication-
    Jeunesse 2002
Lia et le secret des choses, 2002

Chez d'autres éditeurs :
La revanche du dragon, éd. Héritage, 1992
Un voyage de rêve, éd. Héritage, 1993
Les cartes ensorcelées, éd. Héritage, 1993
C'est pas tous les jours Noël, éd. Héritage, 1994
Mozarella, éd. Pierre Tisseyre, 1994
Lia et le nu-mains, éd. Héritage, 1994
Lia et les sorcières, éd. Héritage, 1995
Mes parents sont fous, éd. Héritage, 1996
Lia dans l'autre monde, éd. Héritage, 1996
Fous d'amour, éd. Héritage, 1997
Le cadeau ensorcelé, éd. Héritage, 1997
La tête dans les nuages, éd. Héritage, 1997
Une histoire de fous, éd. Héritage, 1998
La queue de l'espionne, éd. Héritage, 1999
L'école de fous, éd. Héritage, 1999
Le cercle maléfique, éd. Héritage, 1999
Sapristi, mon ouistiti, Éd. Michel Quintin, 2000
Fou furieux !, éd. Héritage, 2000
Le pouvoir d'Émeraude, coll. Conquêtes, éd. Pierre
    Tisseyre, 2001
L'animal secret, éd. Michel Quintin, 2001

J'ai vendu ma soeur

un roman écrit et illustré par
Danielle Simard

SOULIÈRES ÉDITEUR

case postale 36563 — 598, rue Victoria,
Saint-Lambert, Québec J4P 3S8

Soulières éditeur remercie le Conseil des Arts du Canada et
la SODEC de l'aide accordée à son programme de publica-
tion et reconnaît l'aide financière du gouvernement du
Canada par l'entremise du Programme d'Aide au
Développement de l'Industrie de l'Édition (PADIÉ) pour ses
activités d'édition. Soulières éditeur bénéficie également du
Programme de crédit d'impôt pour l'édition de livres –
Gestion Sodec – du gouvernement du Québec.

Dépôt légal: 2002
Bibliothèque nationale du Canada
Bibliothèque nationale du Québec

Données de catalogage avant publication (Canada)

Simard, Danielle

J'ai vendu ma soeur.
(Collection Ma petite vache a mal aux pattes ; 42)

Pour les jeunes de 6 à 9 ans.

ISBN 2-922225-77-1

I. Titre. II. Collection.

PS8587.I287J34 2002   jC843' .54   C2002-940858-X
PS9587.I287J34 2002
PZ23.S55Ja 2002

Conception graphique de la couverture:
Annie Pencrec'h

Logo de la collection:
Caroline Merola

À mon frère Alain,
qui a résisté à l'envie de me vendre.

CHAPITRE 1

Mon cauchemar
à pattes

J'en ai assez de ma soeur Zoé. Cette chipie ne me cause que des ennuis. Et pas plus tard qu'aujourd'hui, elle s'est encore surpassée.

Pendant que j'étais à l'école, elle a fouiné dans ma chambre. Elle a d'abord trouvé la cachette de mon gros marqueur insoluble, puis celle de mes précieuses cartes Formidon. Au retour de l'école, j'ai compris trop tard que je ne comprenais rien aux cachettes. Toutes les cartes Formidon de Noé Paré, futur plus grand collectionneur du monde entier, étaient barbouillées !

Bien sûr, j'ai pleuré, j'ai crié.. Mais à quoi bon ? Ma collection est tout de même fichue. Et comme Maman l'a grondée, Zoé a maintenant une raison de faire une colère épouvantable. Si épouvantable qu'on dirait un ouragan sur une mer déchaînée.

Si épouvantable que ma colère à moi ressemble à une tempête dans un verre d'eau.

Prise d'une sorte de mal de mer, maman dérive jusqu'au premier fauteuil. Elle y sombre en soupirant :

—Cette enfant va me rendre folle !

Je voudrais bien aider maman, mais comment ? Il n'existe pas de poubelles pour enfants méchants. Les parents doivent les endurer patiemment. Les grands frères aussi.

Pourtant, Zoé nous empoisonne la vie à tous. À sa naissance, il y a trois ans, elle hurlait déjà comme un bébé éléphant. Depuis, elle ne fait qu'empirer.

Elle chante très fort et très faux. Elle se mouche dans les vêtements des autres. Elle colle ses vieilles gommes dans leur chapeau. Elle cache dix fois par jour la télécommande dans un endroit nouveau. Elle obtient toujours le dernier biscuit, le dernier chocolat, la dernière goutte de jus. Et comme si ce n'était pas suffisant, elle mord tout ce qui lui tombe sous la dent.

Et comme si ce n'était toujours pas suffisant, elle barbouille les cartes dont je suis si fier. Et c'est elle qui pique une colère ! Je ne dois pas me laisser faire. Je tente de crier plus fort qu'elle :

—J'en ai assez de tes dents pointues, Zoé ! J'en ai assez de tes cris aigus ! J'en ai assez de tes mains griffues !

Peine perdue ! Personne ne m'a entendu.

L'ouragan de Zoé s'est transformé en tremblement de terre. Ses gros souliers martèlent le plancher plus fort qu'une armée. Quant à ses horribles cris, ils vont faire sauter le plafond. Maman regarde tout autour pour chercher du secours. Bien sûr, elle ne voit que moi.

—S'il te plaît, Noé, amène-la au parc, me supplie-t-elle. Ça va lui changer les idées !

Zoé se calme aussitôt et court prendre nos manteaux.

CHAPITRE 2

Mon sauveur

Au terrain de jeux, il n'y a que nous deux et un monsieur.

Zoé joue dans le sable. Assis sur un banc, je la surveille. Le monsieur vient s'asseoir à côté de moi. Il me demande :

—Combien me vends-tu ta soeur ?

Quelle question idiote ! Je réponds que Zoé n'est pas à vendre.

—Elle l'est si tu veux, dit le monsieur. Moi, je te l'achète cinquante dollars, tout de suite.

Cinquante dollars pour ce monstre ! Le monsieur doit être fou. Je l'observe du mieux que je peux. Ce n'est pas facile, avec son chapeau enfoncé, son large col remonté et ses verres fumés. On ne voit de lui que son long nez. Puis ses lèvres minces qui dessinent un gentil sourire.

Je regarde ensuite Zoé. Elle a l'air gentille, comme ça, la bouche bien fermée sur ses terribles dents. Il n'y a personne à mordre dans le carré de sable, aujourd'hui. Elle s'occupe donc à faire des petits pâtés avec sa petite pelle. Le monsieur ne peut pas deviner qu'un affreux requin sommeille en elle.

S'il savait, il n'offrirait pas un sou pour cette calamité ! D'ailleurs, je la lui donnerais volontiers. Gratis !

—Je peux te la payer soixante dollars, insiste-t-il pourtant.

Soixante, c'est une belle proposition ! Avec cette somme, je pourrais remplacer toutes mes cartes Formidon barbouillées. Mieux ! Je courrais la chance d'en obtenir de meilleures !

Le monsieur sourit de plus en plus gentiment. Je lui demande :

—Vous voulez adopter ma soeur ?

—Bien sûr. J'ai toujours rêvé d'avoir une belle petite fille comme ça.

Dois-je lui avouer que la belle est un vrai danger public ? Après, il ne voudra sûrement plus l'acheter. Adieu, cartes Formidon ! Adieu paix retrouvée !

21

D'un autre côté, si cet homme part avec Zoé, il découvrira vite la vérité. Et il reviendra aussi vite se faire rembourser. Mieux vaut se montrer rusé.

—Oui, ma soeur est jolie, comme ça. Mais que ferez-vous si elle n'est pas sage ?

Le monsieur éclate de rire et dit :

—Je suis très patient. Je pardonne tout aux enfants !

Ça alors ! Voilà exactement ce qu'il faut pour Zoé. Mes parents, eux, ne sont plus du tout patients. Peut-être même qu'ils ne l'ont jamais été !

CHAPITRE 3

Marché conclu!

Cet homme si patient doit être un ange tombé du ciel. Soudain, je n'ose pas accepter les trois billets de vingt dollars qu'il me tend. Tant pis pour les cartes Formidon ! C'est déjà trop bon de sa part de recueillir un petit démon. Il ne va pas payer par-dessus le marché !

—Allez, prends ! ordonne le monsieur en glissant les billets dans ma poche. Et va demander à ta soeur de suivre le gentil monsieur. Tu crois qu'elle va accepter ?

Je n'ai pas besoin de réfléchir beaucoup avant de m'écrier :

—Oui, oui, j'ai une idée ! Je vais lui dire que vous allez acheter du chocolat. Ça vous va ?

—À merveille !

Il suffit d'un mot, le mot cho-colat, pour que Zoé abandonne sa petite pelle. Elle part avec le monsieur sans se retourner. Le coeur battant, je les regarde s'éloigner.

Ça y est ! Ils ont tourné le coin de la rue. Je ne les vois plus. Zoé et ses dents pointues ont disparu pour toujours ! Maman ne deviendra pas folle. Papa ne se mettra plus en colère trente fois par jour. On pourra enfin respirer !

C'est fou comme je me sens léger, tout à coup. Il me pousse des ailes !

J'ai l'impression de voler jusqu'au magasin de jouets. Mais je suis tout de même essoufflé quand j'atterris devant le comptoir. J'ai du mal à articuler :

—Des cartes Formidon, s'il vous plaît.

À travers la vitre du présentoir, j'ai les yeux rivés sur les paquets de cartes. Ils resplendissent comme du diamant dans leur emballage brillant. La main du vendeur plonge au coeur du trésor et je m'écrie :

—Cinq paquets !

—As-tu gagné le gros lot ? demande le commerçant.

—Si on veut, j'ai vendu ma soeur.

Le vendeur rit de bon coeur tout en prenant mes soixante dollars.

—Sacré petit farceur ! s'exclame-t-il lorsqu'il me rend les quelques sous de monnaie.

Je ne lui dis pas qu'il fait erreur. Je me lance plutôt chez nous à toute vapeur. Mais soudain, je ralentis. C'est que, tout en courant, j'ai réfléchi. Cet argent était-il bien à moi ?

L'an dernier, quand une dame s'est chargée de vendre notre ancienne maison, elle n'a pas gardé tout l'argent pour elle. Non, car cette maison appartenait à mes parents. Pas à elle ! Au fond, les enfants sont comme les maisons. Ils appartiennent aux parents. Pas aux frères et aux soeurs !

Je m'arrête tout net. Quand papa et maman apprendront la vente de Zoé, ils demanderont les soixante dollars que je n'ai plus.

Dois-je rendre au magasin les précieuses cartes Formidon ?

Non ! J'ai eu raison de remplacer mes cartes barbouillées ! Alors, quoi ?

—Mais oui !

Ces deux mots sortent de ma bouche pendant que je me tape le front. C'est tout simple : je dirai que j'ai DONNÉ le petit démon !

Pourquoi pas ? Après tout, mes parents ont bien assez d'argent. Et surtout, ils seront bien assez contents d'être délivrés.

CHAPITRE 4

Surprise!

On ne peut rien cacher à maman. Elle remarque tout de suite l'absence de Zoé.

—Où est ta soeur, Noé ?

—Tu n'en reviendras pas ! Un gentil monsieur l'a adoptée !

Pour une surprise, c'en est tout une. Maman n'en croit pas ses oreilles. Elle pâlit même un peu.

— Arrête tes blagues, dit-elle sans rire.

Moi, je ne peux m'empêcher de rigoler. Qu'est-ce qu'ils ont tous, aujourd'hui, à croire que je fais des blagues ?

— Je te jure que c'est vrai ! En plus, le monsieur m'a dit qu'il était super patient. Tu te rends compte ? Lui, il pardonne tout aux enfants ! Nous sommes enfin débarrassés !

Pourquoi maman ne bondit-elle pas de joie ?

— Où sont-ils allés ? se contente-t-elle de demander, très très faiblement.

Et, soudain, elle devient VRAIMENT blanche. Comme le lavabo de la salle de bains ! Incroyable, ce que la joie peut faire ! Elle a une voix de minuscule souris quand elle balbutie :

—Mais… mais, Noé… je t'ai déjà dit qu'il… qu'il ne fallait pas suivre des étrangers. Je… je te l'ai dit !

—Je ne l'ai pas suivi.

Maman fait des yeux ronds. Elle se tape le front, tourne en rond et pousse sans raison d'affreux jurons. Puis elle s'arrête sec et regarde tout autour pour trouver du secours. Comme toujours, elle ne trouve que moi. Mais, cette fois, elle bondit sur le téléphone !

Le numéro qu'elle compose n'est vraiment pas long. Elle n'appuie que sur trois boutons.

—Police ! C'est pour un enlèvement. Un kidnapping ! Ma petite fille de trois ans, Zoé...

J'ai beau tirer sur la jupe de ma mère, elle ne semble ni me voir ni m'entendre quand je crie :

—Maman ! Maman ! Ce n'est pas en enlèvement. Je l'ai vvvvv... donnée ! Le monsieur était TRÈS gentil ! Raccroche ! Raccroche !

Elle est sourde ou quoi ? Elle continue sa conversation :

—Elle était avec son... son grand frère... Il... Il a huit ans... Je sais... Je...

Elle raccroche en pleurs. Je pleure aussi. Les policiers seront bientôt ici. Pourquoi maman les a-t-elle appelés ? Vont-ils m'arrêter ? Je n'avais peut-être pas

le droit de donner ma petite soeur Zoé. Encore moins celui de la vendre, qui sait ?

Sur la pointe des pieds, je vais dans ma chambre. Ouf ! maman ne me suit pas. Vite, je sors de ma poche les cartes Formidon. Les paquets trop brillants me donnent maintenant mal au coeur. Tremblant de peur, je les glisse sous le matelas, le plus loin que va mon bras.

CHAPITRE 5

À qui la faute?

Les policiers ne m'arrêtent pas. Ils se contentent de m'interroger. Avec eux, je retourne au terrain de jeux. La petite pelle et le seau de Zoé traînent toujours dans le carré de sable. À leur vue, mon coeur se serre un peu.

Les policiers visitent ensuite tous les marchands de chocolat du quartier. Aucun n'a vu Zoé.

Chacun se demande où le monsieur a pu l'amener. Chacun espère qu'on va la retrouver. Moi, je me demande comment un si bon débarras peut causer autant d'émoi.

Papa quitte le boulot plus tôt qu'il ne faut. Quand il entre à la maison, il rugit comme un lion :

—On ne confie pas un enfant à un autre enfant ! Tout le monde sait ça, sauf ma femme à moi !

Sa femme à lui ne répond pas. Elle est trop occupée à pleurer. J'aimerais bien qu'elle arrête. À force de voir toutes ces larmes couler, je ne peux retenir les miennes.

Mais je me sens tout de même un peu soulagé. Ce n'est pas moi qui suis disputé. Pour une fois, on ne m'accuse de rien. Mieux, on me plaint !

—Pauvre enfant ! Pour le reste de ses jours, il se croira coupable. Tout ça à cause de parents irresponsables !

Voilà ce que disent bien des gens. De ma fenêtre, je les entends. C'est facile : il y a des voisins plein le jardin ! Ils sont arrivés dès qu'ils ont vu la voiture des policiers. Mais le seul voisin qui a le droit d'entrer est mon ami Martin. Papa a arrêté de crier pour se mettre, lui aussi, à pleurer.

—Je ne comprends plus rien, dis-je à Martin. Pourquoi mes parents ont-ils autant de cha-grin ?

—Ils ont sûrement le coeur gros parce qu'ils imaginent ta soeur en morceaux.

—Ne fais pas l'idiot, Martin ! Qui aurait pu découper Zoé ?

—Le monsieur qui l'a volée !

—Il ne l'a pas volée, il l'a ach… ceptée.

—Eh bien, volée ou ach... ceptée, comme tu dis, ça ne fait aucune différence ! Les messieurs qui vont chercher des enfants dans les parcs sont des maniaques. Ma mère me l'a dit !

—Des quoi ?

—Des MA-NI-A-QUES! articule clairement Martin. Voilà comment on appelle les gens qui découpent les enfants en morceaux.

Qu'est-ce qu'il raconte ? Le gentil monsieur aurait découpé Zoé en morceaux ! Des petits ou des gros ? Les orteils détachés ou les pieds entiers ? Et les dents, ses formidables dents ? Les a-t-il toutes arrachées pour s'en faire un collier ?

Rien que d'y penser, mes pleurs devraient redoubler. Mais je n'arrive pas à croire une pareille histoire. Comment le monsieur aurait-il réussi cet exploit ? Personne n'a jamais pu donner à Zoé le moindre coup de pied. Zoé est plus agile qu'un singe, plus rusée qu'un renard, plus rapide et plus féroce qu'un tigre. Personne n'arrive à l'attraper.

Et puis, il ne suffit pas de dire :

—Si tu me permets de te couper le bras, je te donnerai du chocolat.

Ma sœur ne se laisserait pas faire comme ça.

D'ailleurs, le monsieur n'a même pas acheté de chocolat. Tous les marchands du quartier l'ont confirmé.

Dans ce cas, Zoé est sûrement terriblement fâchée. Et quand Zoé se fâche, elle devient plus dangereuse que le plus dangereux des maniaques ! De Zoé ou du monsieur, c'est le deuxième qui court le plus grand danger. Elle lui a sans doute déjà planté ses mille et un crocs dans la peau.

Je dois absolument expliquer ça aux détectives. Ils sont dans la chambre de Zoé, avec le chien policier. J'accours en criant :

— Vous ne le savez peut-être pas, mais ma soeur a des dents terriblement pointues. Le monsieur qui l'a volée a certainement été mordu.

Terriblement mordu ! Et il va tenter de se faire soigner !

On voit bien qu'ils se retiennent de rire.

Papa, lui, arrête net de pleurer.
Il s'écrie à son tour :
—Noé a raison. Zoé a les
dents si pointues qu'elle pourrait
dévorer un rhinocéros tout cru !

Il a plus d'impact que moi, dirait-on. Les inspecteurs ont beau être étonnés, ils déclarent soudain qu'aucune piste ne doit être négligée. Puis, ils font appeler toutes les urgences des hôpitaux.

CHAPITRE 6

Qui a saigné?

À l'hôpital du Bon Secours, une dame répond :

—Si nous avons des mordus ? Nous en avons un, en effet. Et quel mordu ! Il nous a tendu le bout de son nez afin qu'il soit recousu.

—Il a le bout du nez tranché ?

—Comme vous dites ! Encore heureux que le chien n'ait pas

avalé sa bouchée ! Le patient
dort maintenant à poings fermés.
Le docteur Pauzé va bientôt
l'opérer.

Les policiers me demandent
de les accompagner à l'hôpital.
Je m'approche de la civière où
dort le suspect au nez tranché.
Je dois l'identifier. Mais cet
homme n'a ni verres fumés,
ni chapeau enfoncé ni col
remonté. Quant à son
nez, il a été remplacé
par un pansement
taché de sang.

—Le reconnais-tu ?
me demande la détective
Dubé.

Je réponds, bien embêté :

—Euh ! ça doit être lui. Il a sûrement un long nez, comme le monsieur du terrain de jeux. Parce qu'il est difficile de trancher un petit nez…

Le chien policier, lui, se montre plus assuré. Dès qu'il sent les vêtements de l'homme, il devient tout excité. Il a détecté l'odeur de Zoé !

Nous vérifions dans les dossiers de l'hôpital l'identité du monsieur au nez coupé. C'est au tour des policiers d'être tout excités : cet homme est recherché depuis plusieurs années. Grâce à moi, ils l'ont enfin trouvé !

JEAN MÉCRÉANT

RECHERCHÉ

NÉGOCIANT
EN ENFANTS

J'apprends que le dangereux
malfaiteur vole des bambins pour
les vendre à de riches Améri-
cains. Ces gens sont trop impa-
tients pour adopter un enfant
légalement. Ils préfèrent croire
les boniments d'un chenapan.
Sans perdre une seconde, nous
fonçons à l'adresse indiquée !

Zut ! Je dois rester dans la voiture pendant que les policiers entrent dans l'immeuble. L'homme a sûrement des complices. Pire ! il s'est peut-être vengé et les morceaux de Zoé jonchent le plancher. Quel supplice d'attendre ainsi !

Enfin ! un policier vient me chercher. Pendant que nous grimpons l'escalier, il me raconte ce qui s'est passé :

— On a ouvert la porte de l'appartement. Et là, on a eu le souffle coupé ! Une fillette gisait sur le dos, bras écartés, au beau milieu du plancher. Un filet de sang séché coulait de ses lèvres sur sa joue. La détective Dubé s'est approchée du petit corps inanimé. Elle n'a pu retenir une larme en posant les doigts sur son front tout chaud.

—Tout chaud ? Zoé n'est donc pas morte ?

—Mais non ! Elle respire encore, me répond le policier. En fait, elle dort comme un bébé ! Ce sang provient sûrement du nez qu'elle a croqué. Vas-y, mon gars ! C'est toi qui as l'honneur de réveiller ta soeur.

Dès que je vois Zoé, tout entière, endormie sur le plancher de l'appartement, mon coeur bondit de joie. Je n'aurais jamais cru cela possible, mais je me sens comme le Prince charmant devant la Belle au bois dormant. Pour la réveiller, je choisis de l'embrasser sur le bout du nez…

Et c'est la fin du beau conte de fées. Les yeux de Zoé ont beau n'être ouverts qu'à moitié, elle se met déjà à hurler :

—Menteur ! Menteur, Noé ! Le monsieur a pas acheté du chocolat ! Veux du chocolat. Veux du chocolaaaaaaaaaat !

La furie saute sur ses pieds trop bien chaussés. Elle martèle le plancher plus fort qu'une armée. Ses horribles cris vont faire sauter le plafond ! Les policiers regardent tout autour pour chercher du secours. Comme toujours, leurs yeux suppliants tombent sur moi. Je n'ai pas trente-six solutions à leur proposer :

—Je peux l'amener au parc, si vous voulez…

Danielle Simard

 Petite, j'étais presque aussi terrible que Zoé. Je n'avais peut-être pas ses dents acérées, mais je pouvais très efficacement marteler le plancher. Quant à mes pleurs et à mes cris, ils sont demeurés légendaires dans tout le quartier.

J'avais aussi un grand frère qui devait m'endurer. Un jour, au parc, un homme lui a offert 25 cents pour m'emmener. Mon frère a refusé. Résister à une telle offre lui a demandé tant de courage qu'il s'en est vanté pendant des années.

Ai-je honte de ce lourd passé ? Pas vraiment. Aujourd'hui, mon grand frère est un homme d'affaires prospère, capable d'affronter tous les requins de ce monde. Et je me dis que c'est un peu grâce à moi qu'il s'est à ce point endurci.

Pour ma part, j'ai ramolli. Sans doute ai-je dépensé toute mon énergie. Me voilà devenue aussi douce qu'une brebis.

Mais ça, c'est moi qui le dis…

 GARANT DES FORÊTS
INTACTES

Ce livre a été imprimé sur du papier Sylva enviro 100 %
recyclé, traité sans chlore, accrédité Éco-Logo et fait à
partir d'énergie biogaz.

Achevé d'imprimer
sur les presses de Marquis Imprimeur
en janvier 2010